GARY Y LA ABUELA-BOT

DAVID LITTLEWOOD

Ilustrado por
LAURA LITTLEWOOD

Traducido por
ELIZABETH GARAY

Publicado en 2022 por Next Chapter

Arte de la portada por CoverMint

Editado por Elizabeth Garay

Este libro es un trabajo de ficción. Los nombres, personajes, lugares e incidentes son producto de la imaginación del autor o se usan de manera ficticia. Cualquier parecido con eventos reales, locales o personas, vivas o muertas, es pura coincidencia.

A mis nietos

CAPÍTULO I

PROBLEMAS PARA GARY GORMLEY

Gary Gormley dobló la esquina y se detuvo allí, jadeando. Se apretó contra la pared, esperando que no lo vieran. Le habían hecho pasar un mal rato en los últimos días, y ahora le perseguían hasta su casa desde el colegio. Sabía que si le pillaban le harían algo realmente desagradable, como tirarle del pelo o meterle la cara en un charco.

«Ellos» eran Nick y Dick, dos chicos de su escuela. Gary no sabía por qué habían decidido convertirse en sus enemigos declarados. Tal vez porque se sentaba en la parte delantera de la clase mientras ellos jugaban en la parte de atrás. Tal vez porque era un chico inteligente que podía resolver un problema de matemáticas en un santiamén en su cabeza mientras que Nick y Dick

El pasatiempo de Gary era inventar cosas

eran sumamente tontos. Es decir,
Gary podía resolver problemas matemáticos bastante complicados mientras que a Nick y a Dick les costaba trabajo decidir que dos más dos eran cuatro.

Cuales fueran las razones, Nick y Dick habían decidido que Gary se convirtiría en la próxima víctima de su campaña de acoso a otros niños en la escuela. Al fin y al cabo, parecía un empollón. Ambos eran chicos bastante grandes y sabían que Gary no podría luchar contra ellos, sobre todo porque trabajaban juntos. Así que, en primer lugar, habían empezado a ponerle apodos, como «Gary el corto»,*Gormless* en inglés, en lugar de Gary Gormley, que era su apellido. No pasó mucho tiempo hasta que todos los demás niños se unieran, en parte porque tenían miedo a Nick y Dick y además, porque a los niños les gusta llamar a otros con nombres horribles. Así que Gary pronto fue conocido como «Gary el Idiota».

Todo esto era un poco estúpido por parte de los chicos, ya que Gary era sin duda el chico más inteligente de la clase. Tenía cerebro de sobra, lo que debería haber hecho que los otros niños lo envidiaran. Pero todo lo que los demás podían ver era la ropa bastante desgastada que llevaba.

Eso era porque Gary y su madre eran pobres. Su padre había muerto cuando él era pequeño, y su madre estaba enferma y no podía trabajar. Pasaba mucho tiempo en la cama y Gary tenía que cuidarla. No tenía tiempo para hacer muchos amigos, y el tiempo libre que tenía lo pasaba normalmente en el cobertizo del fondo del jardín, donde inventaba cosas.

Sí, el pasatiempo de Gary era inventar cosas. Es cierto que aún no había inventado demasiado, solo algunas cosas, como un calentador de asiento de inodoro para su retrete exterior (que se enfriaba mucho en invierno) y un ahuyentador de ratones controlado por radio para deshacerse de los ratones que invadían constantemente su casa.

Por otra parte, Gary no quería tener muchos amigos. De hecho, no quería que la gente viera la casa desvencijada en la que vivía con su madre. Pero ahora esos horribles niños parecían tener su número. Gary se quedó muy quieto mientras oía voces que venían de la esquina:

—¿Dónde está?

—¡Esta vez lo atraparemos!

—¡Vamos a golpear al cerdito inteligente!

—Mira, hay un charco en el que podemos revolcarlo. Hagamos que su ropa se llene de barro.

A Gary se le encogió el corazón. La ropa era difícil de conseguir en su familia, y lo último que quería era que los matones le estropearan la ropa que llevaba. Ya habían intentado despeinarlo y revolcarlo en el patio de la escuela, pero ahora parecía que sus malvados juegos iban a llegar más lejos.

De repente, Gary oyó otra voz. Era la voz de una chica.

—¿Buscan a Gary Gormley?

Cogió aire al escuchar su nombre.

—¡Sí! — Era la voz de Nick. —¿Sabes a dónde fue?

—Se fue por ahí, por el seto y por el campo.

—¡Bien! ¡Vamos a alcanzarlo!

—¡Tal vez haya algo de estiércol en el que podamos tirarlo—¡De prisa!—, dijo la voz de la chica. —¡Él corre rápido!

Gary oyó un par de gruñidos de agradecimiento de los dos matones mientras se marchaban. Respiró aliviado, pero se sobresaltó al oír la voz de la chica: —Muy bien, Gary Gormley. Puedes salir. Se han ido—. Dijo la última palabra con una voz cantarina y risueña, de modo que sonó como «iii-dooo».

Gary asomó la cabeza. Lo que vio allí era una joven de la misma edad que él. Tenía pecas en la cara y el pelo castaño, recogido con dos trenzas. Aunque se supone que los chicos de su edad no se interesan por las chicas, Gary pensó que estaba bastante guapa con su vestido rojo, que le llegaba a las rodillas, y los botines negros en los pies. La reconoció como una chica de su clase en la escuela, Emily Truss.

—¿Te persiguen de nuevo? —, preguntó Emily.

—Sí, me temo que sí—, dijo Gary, mirando a sus pies en lugar de a los ojos de la chica. —Supongo que la tienen tomada conmigo.

—Siempre se la tienen jurada a alguien—, dijo la niña con una especie de mohín, que a Gary le pareció muy bonito.

—Bueno, gracias por alejarlos—, dijo.

Muy bien, Gary Gormley

—Oh, fue un placer—, dijo Emily agitando sus trenzas. —No soporto a esos dos. Son unos burros, y lo único que quieren hacer es fastidiar. Ojalá fuera un chico—, dijo, entrecerrando los ojos y lanzando pequeños golpes al aire con los puños como un boxeador. —¡Seguro que los azotaría a los dos!.

Gary se rio. —Creo que necesitas ser un poco más grande—, dijo, mirándola con admiración.

—Supongo que sí—, dijo ella. —Eso sí, nunca se meterían conmigo.

—¿Por qué no? —, preguntó Gary.

—Porque tengo un hermano mayor que se encargaría de ellos—. Sonrió. —Al menos, eso es lo que les dije. Y son tan estúpidos que se creen cualquier cosa.

—¿Así que no hay hermano? —, dijo Gary.

—No, pero tengo un papá. Él se encargaría.

—Yo no tengo papá—, dijo Gary mientras apartaba una piedra de una patada y empezaban a subir juntos por el camino hacia su casa. —Solo tengo una mamá, y a menudo no está bien. Tengo que cuidar de ella la mayor parte del tiempo.

—Lo siento—, dijo Emily. —¿Por eso no sales mucho?.

—Por eso y por mis inventos—, dijo Gary.

—¿Tus qué?.

—Es lo que hago. Soy inventor. Bueno, de momento solo invento cosas pequeñas, pero un día seré un inventor de verdad.

—Caramba—, dijo Emily. —Me gustaría verlos alguna vez, pero de momento tengo que llegar a casa para tomar el té.

—Sí, y será mejor que yo vaya a casa a ver cómo está mamá.

—Es muy amable de tu parte cuidar a tu madre—, dijo Emily con cara de preocupación. Luego se rio. —¡Mi madre y mi padre dicen que tienen un trabajo cuidándome!.

Gary la vio subir por el camino hasta su casa y se dio cuenta de que había hecho una amiga. *Eso se sentía bien,* pensó para sí mismo. Si no tuviera que preocuparse mañana por Nick y Dick.

CAPÍTULO 2
UN VISITANTE INESPERADO

Gary entró y encontró a su madre sentada en una silla. Parecía bastante débil, pero le sonrió.

—¿Has tenido un buen día, hijo? —, preguntó.

—Oh, bien, mamá", dijo Gary. No quería molestarla con sus problemas con Nick y Dick. —¿Quieres un poco de té?.

—Gracias—, dijo su madre. —Hay algunas galletas en la cocina que la señora Castle preparó para nosotros. Es muy amable.

Gary se animó. ¡Galletas para el té! Eso no ocurría muy a menudo, ya que él y su madre eran muy pobres. Desde luego, no les sobraba el dinero para caprichos como las galletas. Un festín digno de un rey, o quizás de un príncipe, ya que Gary no tenía edad para ser rey.

Gary disfrutó mucho de su té y después ayudó a su madre a subir a la cama y se puso a hacer los deberes. No le llevó mucho tiempo, ya que era muy inteligente. Resolvió diez problemas de matemáticas en el tiempo en que la mayoría de los chicos de su edad tardaban en hacer uno. *Fácil,* pensó. *¿Por qué nuestro profesor no nos pone problemas de verdad?*

Gary suspiró entonces al pensar en Emily y su sonrisa. Se alegró de haber encontrado una amiga, pero le preocupaba lo que Nick y Dick harían mañana, sobre todo porque Emily los había enviado a una búsqueda inútil.

Miró al exterior, hacia el pequeño jardín que tenían. Estaba oscureciendo. Sin embargo, de repente, notó un resplandor en el cielo. Volvió a mirar y se maravilló. Algo estaba surgiendo del cielo. Brillaba intensamente y de él salían chispas. Además, parecía dirigirse directamente a la casa en la que se encontraba. Se iba haciendo más grande y brillante.

—¡Oh, no! — dijo Gary. —¡Va a golpear nuestra casa!.

Se agachó detrás del sofá, esperando oír un golpe en cualquier momento y que la casa se derrumbara alrededor de sus oídos. Pero no hubo nada. Solo un ligero zumbido y luego el silencio. Gary salió con cautela de detrás del sofá y miró por la ventana, pero no vio nada. Solo el jardín, como siempre. Se preguntó si había soñado o imaginado todo aquello. Pero entonces se dio cuenta de que el tendedero se había caído, por lo que se dio cuenta de que algo había pasado.

—Pero ¿qué ha pasado?, jadeó.

De repente se oyó un golpe en la puerta de entrada, lo que hizo que Gary se sobresaltara. ¿Quién sería a estas horas? ¿Tendría que ver con lo que acababa de ocurrir en el jardín? ¿Debía contestar?

Sintió que un escalofrío de miedo le recorría la espina dorsal, y los pelos de la nuca se le erizaron.

Hubo otro golpe más fuerte en la puerta. Gary oyó la voz de su madre. —Gary, alguien llama a la puerta. ¿Podrías contestar, por favor?

Así que, sintiéndose indudablemente nervioso, Gary se acercó sigilosamente a la puerta y la abrió un poco. Se asomó a la penumbra de la noche y vio... ¡a una anciana! Sí, una anciana se encontraba de pie en su puerta. Calculó que era del mismo tamaño que su madre, con el pelo canoso recogido en un moño y unos ojos grandes y penetrantes. Tenía una nariz larga sobre la que se posaban unas gafas muy anticuadas, e iba vestida con una falda marrón y una blusa blanca, sobre la que llevaba un abrigo azul. Gary no sabía cuántos años tendría, porque estaba en la edad en que todos los adultos le parecían viejos. Pero pensó que esta señora parecía muy mayor. Y Gary se dio cuenta de que había algo bastante peculiar en ella.

Él miró fijamente el rostro de la anciana, que rompió en una sonrisa. —¡Hola! —, dijo ella. —¿Eres tú Gary Gormley?

—Sí, soy yo—, tartamudeó Gary. —¿Puedo ayudarla?

—Negativo—, dijo la anciana. —Me han enviado para ayudarte.

—¿La han enviado para ayudarme? —, dijo Gary con asombro. —¿Quién la ha enviado?

—Tú lo has hecho—, dijo la anciana. —Déjame entrar y te lo explicaré.

—Ehhh... ¡no puede entrar! Quiero decir que no debo dejar entrar a la gente—, tartamudeó, pero para entonces la anciana le había empujado y estaba en el pasillo.

—Ah—, dijo ella, girando la cabeza de un lado a otro como si estuviera asimilando todo. —¡Justo cómo lo has programado! Veamos la sala—. Y la anciana se dio la vuelta y entró directamente en la sala como si hubiera vivido en la casa toda su vida.

—Pero ¿quién es usted? ¿qué hace aquí? —, balbuceó el chico, esperando que su madre no oyera lo que ocurría abajo. Temía que eso la molestara en su frágil estado de salud. Ya tenía bastantes problemas, pensó, con Nick y Dick sin la invasión de esta extraña anciana. ¿Quién era y de dónde había salido? ¿Y qué rayos quería decir cuando dijo que él la había enviado?

CAPÍTULO 3

DESDE EL FUTURO

—Me sentaré aquí—, dijo la anciana, acomodándose en la silla en la que solía sentarse la madre de Gary cuando estaba en la sala. Gary tomó la otra silla frente a ella y la miró. A primera vista, parecía una anciana normal y corriente, pero él percibió que había algo irreal en ella.

—Permíteme que me presente—, dijo, con un brillo en los ojos. —Soy tu Abuelita-Bot y me han enviado desde el futuro para cuidarte.

—¿Que es qué?.

—Una Abuelita-Bot. Prototipo 100XL.

—¿Qué rayos es una Abuelita-Bot?.

—Soy un androide hecho para parecer una anciana y he sido programado para cuidar de ti.

—Así que usted... no es una persona real.

—Negativo, soy un robot humanoide.

—Yo... no creía que existiera algo así.

—Todavía no, pero vengo del futuro.

'Vengo del futuro'

—¿El futuro? —, dijo Gary. ¿Qué diantres quiere decir?

—Me enviaste desde el futuro para ayudarte.

—¿Yo lo hice? — Gary se quedó boquiabierto. —¿Cómo? ¿por qué?

—Déjame explicarte. En los archivos que he almacenado están los registros de tu vida hasta ahora. Vas a convertirte en un gran inventor, y lo más maravilloso que inventes será un androide que funcione, del que yo soy un espécimen. Uno de los mejores, diría yo. Has tenido bastantes fracasos—

—Es increíble—, dijo Gary. —Cuéntame más sobre lo que hice.

—¡Negativo! Eso no está en mis archivos—, dijo la Abuelita-Bot. —¡Solo lo que te dije! Y por supuesto todos los detalles de tu vida hasta ahora. Lo sé todo sobre ti.

Gary se rascó la cabeza. —Pero ¿cómo has llegado aquí desde el futuro? ¿Y por qué te envié yo?.

—Descubriste que a veces hay una ruptura en el continuo espacio-tiempo y que se pueden enviar máquinas como yo a través de él. Así que eso fue lo que hiciste.

—Pero ¿por qué?

—En mi programa dice que lo pasaste bastante mal de niño, con tu madre enferma y esos niños del colegio acosándote. Así que pensaste que una abuelita-Bot te ayudaría—.

—¿Por qué una abuelita-Bot?

—Pensaste que, si enviabas a alguien que pudiera ser tu abuela perdida de hace mucho tiempo, la gente me aceptaría sin hacer demasiadas preguntas.

Gary parecía asombrado. —¿Así que eres un robot que inventé en el futuro?.

—¡Afirmativo!

—¡Impresionante!

—Voy a limpiar este lugar, luego puedes enchufarme por la noche.

—¿Perdón?

—Enchufarme. Recargarme.

Gary se quedó mirando mientras la abuela-Bot abría un compartimento donde podría haber estado su estómago y sacaba un cable con un conector: —Enchúfame a la red eléctrica durante la noche y me recargaré. Ahora vamos a limpiar. Veo que no eres muy ordenado.

Gary miraba asombrado cómo la abuela-Robot pasaba a toda velocidad ordenando el lugar, barriendo debajo de las mesas y finalmente pasando la aspiradora por la alfombra. Podía parecer una mujer muy mayor, pero lo cierto es que se movía rápido. Pero entonces, pensó, ¡era un robot! No podía creer que hubiera diseñado esa cosa. —Debo ser más inteligente de lo que pensaba—, se dijo.

De repente, Gary se puso en marcha.

—¿Qué hay de mi madre? —, dijo. —¿Qué puedo decirle sobre ti?

—Ah, sí—, dijo la abuela-Bot, como si recordara algo de sus archivos. —Tengo un programa para eso. Tu padre tenía una madre que tú y tu propia madre nunca conocieron. Dile a ella que soy tu abuela perdida que ha venido a cuidarte.

—¿Abuela perdida?

—Sí, me he enterado del problema que tienes y he venido a ayudarte. Tu madre no tiene por qué saber quién soy realmente. Podría alterarla si lo supiera en su estado de salud.

—De acuerdo—, dijo Gary. —Solo espero que funcione. Se lo diré por la mañana.

—No hace falta—, dijo la abuela-Bot. —Te acompañaré a la escuela por la mañana, luego estaré fuera todo el día.

—¿Dónde?—, dijo Gary.

—No importa. Ahora enchúfame. Pero asegúrate de desenchufarme por la mañana. No funciono mientras me estoy cargando.

La abuela-Bot se sentó en la silla y le entregó a Gary el enchufe. Gary lo conectó y vio cómo se iluminaban las orejas de la abuela-Bot. Se quedó muy quieta y Gary recordó que «ella» no funcionaba mientras se estuviera cargando. Miró su reloj. —Es hora de besar a mamá y de ir a la cama—, se dijo.

Luego miró a la figura en la silla con las orejas brillantes. —¡Qué día tan emocionante ha sido!

CAPÍTULO 4
VENCIENDO A LOS MATONES

Por la mañana, Gary saltó de la cama y bajó corriendo las escaleras. Se preguntaba si todo lo que había sucedido la noche anterior había sido solo un sueño. Pero cuando llegó a la sala de estar vio a la abuela-Bot sentada en la silla. Se dio cuenta de que las orejas habían dejado de parpadear, probablemente porque ya estaba completamente cargada, pensó. ¿O es que se había estropeado?

Solo había una forma de averiguarlo, así que se agachó y desconectó el enchufe. Inmediatamente los ojos de la abuela-Bot se abrieron y miró a su alrededor. Era tan realista que a Gary le costó darse cuenta de que «ella» era un robot y no una persona real. Pensó que engañaría a cualquiera que no lo supiera.

—Oh, buenos días—, dijo la abuela-Bot. —¿Listo para la escuela?

—Acabo de levantarme—, dijo Gary. —¿De verdad vas a acompañarme a la escuela?

—¡Claro que sí! Tengo un informe en mis archivos que

dice que dos chicos están haciendo tu vida miserable. Así que veremos qué podemos hacer.

—Tú... no vas a hacerles nada realmente malo, ¿verdad?—, dijo Gary, con cara de preocupación.

—¡Oh, por el amor de Dios, no! ¡Soy una abuela-bot, no Terminator!

—¡Gracias a Dios!

Gary desayunó copos de maíz y leche y luego le llevó algo a su madre. Decidió que le presentaría a la abuelita-Bot cuando volviera de la escuela. Pero ¿dónde estaría la abuela-Bot?

—¿Qué vas a hacer hoy?

—Oh, voy a ir al banco. Luego a hacer algunas compras. Una exploración de este lugar me dice que la alacena está completamente vacía.

—¿Banco? ¿Compras? Pero no tenemos dinero.

—Tengo archivos para poder sacar de tu futura cuenta bancaria.

—¿Quién los puso ahí?

—Tú lo hiciste.

—¿De verdad voy a ser tan inteligente? —, murmuró Gary. —¡Vaya!

—Haré la lista de la compra—, dijo la abuela-Bot, y cerró los ojos con fuerza. Gary notó que tenía los ojos en blanco y que de su cabeza salía un zumbido. Entonces abrió la boca y salió una lista impresa. —Esto es lo que calculo que necesitamos. ¿Algo más que añadir? —, dijo la abuela-Bot, entregándole la lista.

Gary recorrió con la mirada la lista. —¿Chocolate? Mamá y yo no lo hemos comido en años.

La abuela-Bot puso los ojos en blanco. —Creo que mis archivos lo permiten—, dijo con una sonrisa. —Pongámonos en marcha.

Gary se colgó la mochila al hombro y, tras despedirse de su

madre, los dos salieron por la puerta. *Espero que no nos encontremos con Nick y Dick,* pensó.

Caminaron un poco por la carretera, pero cuando doblaron la esquina Gary vio dos figuras conocidas, pero no bienvenidas, que lo esperaban: Nick y Dick. Y parecían estar de mal humor.

—Ya está aquí—, dijo Nick cuando lo vio. —¿Quién es esta vieja que te acompaña?

—Es...—. La voz de Gary se interrumpió con confusión.

—Soy su abuela—, dijo la abuelita-Bot. —¿Quién eres tú? —, dijo ella, enarcando las cejas.

—Soy Nick y este es Dick—, dijo Nick. —Somos... em... amigos de Gary.

A Gary le tocó ahora enarcar las cejas al pensar que Nick y Dick eran sus amigos. Pero Nick esbozó una sonrisa espantosa y le tendió la mano a la abuela-Bot. —Encantado de conocerla—, dijo.

—¡Oh, no! —, dijo Gary cuando la Abuela-Bot extendió la mano. El hecho era que Nick y Dick disfrutaban dando la mano a los niños más pequeños para poder apretarles la mano y hacerles daño. El propio Gary había tenido ese trato, y no dudaba de que los dos abusones encontrarían divertido aplastar la mano de una anciana para hacerle daño. Pero en ese momento la abuela-Bot ya tenía agarrada la mano de Nick. —No me importa darle la mano a este joven.

Nick esbozó una sonrisa maligna mientras tomaba la mano de la abuela-Bot. Sin embargo, cuando trató de apretarla, descubrió que su propia mano era apretada a su vez. Intentó apretar más fuerte, pero descubrió que la anciana tenía un agarre muy firme. Gary observó con diversión y asombro la forma en que la cara de Nick se volvía roja y sus rodillas empezaban a doblarse. —¡Ay! ¡Ay! —, salió de su boca.

—¿Estás bien? —, dijo la abuela-Bot, soltando la mano de Nick. El chico se quedó con la cara muy roja, retorciéndose la mano.

—¡Oh, sí! Tiene un apretón de manos muy firme para ser una anciana—, jadeó.

—¡Ah, es por el tiempo que paso en el gimnasio! —, dijo la abuela-Bot. Le tendió la mano a Dick, que parecía algo desconcertado. Si Dick hubiera tenido algo de cerebro, no le habría tendido la mano, pero lo de estar mal de la cabeza le venía de familia. Además, pensaba que él era el verdadero tipo duro que hacía las cosas con fuerza, no Nick. Así que le tendió la mano. —¡Claro, le daré mi mano, anciana! —, dijo con una sonrisa de suficiencia.

La sonrisa de satisfacción desapareció de la cara de Dick cuando la anciana le agarró la mano. De hecho, Dick empezó a bailar arriba y abajo, emitiendo sonidos como «¡Ay! ¡Ooooh! ¡Ahhhhh!».

Gary miraba cómo a Dick se le ponían los pelos de punta.

—¡Ay! ¡Suelte! ¡Suelte! Ay! Aaaay! —, gritó Dick mientras saltaba en el extremo del brazo de la abuela-Bot.

—¿Qué te pasa, muchacho? —, dijo la abuela-Bot.

—¡Ay! ¡Me la está haciendo pedazos! —, dijo Dick.

—¿Pedazos? —, dijo la abuela-Bot.

—¡Ay! ¡Sí! —, dijo Dick, con los pelos de punta.

—¡Eres un chico raro! —, dijo la abuela-Bot, soltando su mano. Dick parecía confundido con el pelo de punta. Gary estaba asombrado, pero se reía para sus adentros. Obviamente, la abuela-Bot tenía algunos trucos bajo la manga, en más de un sentido.

—¡Oh, mira, hay una moneda de una libra ahí abajo! —, dijo la abuela-Bot, señalando el suelo. Cuando Nick y Dick se agacharon para mirar, la anciana sacó una pierna y le dio a Dick una fuerte patada en el trasero.

—¡Ay! —, dijo Dick, saltando y agarrándose el trasero. —¿Quién ha hecho eso?

—¡Sí, Nick!— dijo la mujer. —¡Eso fue algo muy feo que hacer a tu amigo!

"¡Por qué!, ¡te aplastaré! —, dijo Dick, empujando a su desconcertado amigo.

—¡No me empujes! — dijo Nick, echando a Dick hacia atrás, momento en el que Dick corrió hacia Nick y ambos acabaron rodando por el suelo, agitando los puños.

—¡Vamos! —, dijo la Abuela-Bot, y Gary la siguió al doblar la esquina, con el sonido del combate de Nick y Dick a sus espaldas.

—Bueno, eso seguro los entretendrá—, dijo Gary. —¿Qué le pasó a Dick cuando le diste la mano?

—Oh, solo un dispositivo de protección de descargas eléctricas que colocaste—, dijo la abuela-Bot.

—Oh, por eso bailaba arriba y abajo—, rio Gary.

—¡Afirmativo! Es suficiente para impactar, pero no para dañar.

—¿Pero eres tan fuerte y ágil? —, dijo Gary.

La abuela-Bot le guiñó un ojo: —Puedo parecer una anciana, pero en realidad soy una Abuela-Bot 100X sobrealimentada.

Gary sonrió. La vida iba a ser divertida con su abuela-Bot.

CAPÍTULO 5

EMILY TRUSS

Gary estaba muy contento y emocionado en la escuela ese día. Imagínate, una abuela robot propia. Se preguntaba cómo se las arreglaría para inventar algo así, pero pensó que eso sería en el futuro. Miró por la ventana y vio que dos figuras conocidas entraban por la puerta de la escuela; Dick y Nick. Parecían algo empolvados por su pelea y ambos tenían la nariz ensangrentada. Sin duda se meterían en líos por llegar tarde y tendrían un buen trabajo que hacer también, pensó Gary.

Miró al otro lado de la clase y vio a Emily Truss sentada con sus trenzas y pecas, y decidió que le gustaba mucho. No tenía muchos amigos, pero decidió que le gustaría conocerla un poco mejor. Así que en ese descanso se acercó a ella con cierta timidez. —¡Hola, Emily!

—Hola, Gary—, dijo con su sonrisa algo descarada.

—Gracias por ayudarme ayer.

—Está bien. Cuando quieras.

—Creo que me salvaste de recibir una paliza de esos dos.

Son horribles, pero mi abuela seguro que los puso en orden esta mañana.

—¿Tu abuela?

—S...sí—, dijo Gary dándose cuenta de repente de que había mencionado a la abuela-Bot. —Ella... ha venido a cuidarnos a madre y a mí.

—¿Cómo los ha puesto en orden? —, preguntó Emily, pero en ese momento aparecieron dos figuras que se cernieron sobre ellos. Oyó los inconfundibles tonos de Dick el burro. —¡A ver, tú! No nos ha gustado lo que tú y esa tonta vieja nos habéis hecho hoy. Creo que fue ella o tú quien me dio una patada.

—¿Yo? —, dijo Gary.

—Sí. Tú o ella. Luego le echó la culpa a Nick. Nos hicisteis pelear.

—Estamos castigados mañana por llegar tarde.

—Así que vamos a por ti—, dijo Dick, golpeando a Gary en el pecho. —¡Y tú! —, dijo, volviéndose hacia Emily. —¡Reconoce que nos mandaste por el camino equivocado anoche!

—Ay, cállate, bocazas—, dijo Emily. —Vete antes de que te patee las espinillas.

—Porque yo...

—¿Qué vas a hacer? —, dijo Emily desafiante. —Si me tocas, pondré el grito en el cielo y haré que todos los profesores vengan corriendo.

—¡Espera! —, dijo Nick amenazante.

—¡Lo haré! —, dijo Emily, sacando la lengua a la espalda de Nick que se retiraba.

Gary se rio. —¡Bueno, seguro que sabes cómo manejarlos! Pero no te metas en problemas.

—No lo haré—, dijo Emily. —Me gustaría ver alguno de tus inventos alguna vez.

—¿Vamos juntos a casa?

—Sí. ¿Por qué no?

Gary se sintió tan feliz que quiso gritar, pero mantuvo la boca cerrada, pues sabía que haría el ridículo. No podía esperar a que terminaran las clases para poder ir a casa con Emily. La única nube oscura en el horizonte parecían ser las amenazas de Nick y Dick. Esperaba que la abuela-Bot estuviera cerca.

CAPÍTULO 6

NICK EL GAMBERRO

Después de la escuela, Gary se reunió con Emily en el patio de recreo y emprendieron el regreso a casa.

—¿Estará tu abuela en casa? —, preguntó Emily.

—Supongo que sí—, dijo Gary, deseando que la abuela-Bot estuviera con ellos, ya que temía que Nick y Dick estuvieran esperando en algún lugar para vengarse. Pero al menos, ahora todo parecía tranquilo mientras él y la chica caminaban juntos charlando.

—Siento mucho que tu madre esté enferma todo el tiempo—, dijo Emily.

—Sí, lleva un tiempo así—, dijo Gary. Se encogió de hombros. —Antes cuidaba de mí, pero ahora tengo que cuidar de ella.

—¿Por eso ha venido tu abuela? —, preguntó Emily cuando pasaron por un terreno baldío en el que un tractor había hecho charcos especialmente embarrados con la lluvia de la noche.

—Sí—, dijo Gary. Pero su sonrisa abandonó su cara al ver a

Nick y Dick de pie en el camino. —¡Oh, no! —, dijo. —¿Qué vamos a hacer?

—Solo muéstrales que no tienes miedo—, dijo Emily. —¡Es la mejor manera con los matones!

Los dos horribles niños avanzaron hacia ellos.

—¡Caray! — dijo Nick. —¿Pensaste que te escaparías de nosotros?

—¡Alejaos, babosos! —, dijo Emily.

—¡No te metas en esto! —, dijo Nick. —¡O te unirás a él en ese lodazal! —, dijo con una mirada de soslayo, señalando la mancha de barro particular en el descampado.

—¿Dijiste algo, muchacho? —, se escuchó una voz que venía de detrás de Nick. De repente, la mirada lasciva de Nick fue sustituida por una mirada de alarma cuando sintió que lo levantaban por el cuello de la camisa. Dio un grito de alarma cuando se giró y vio a una señora mayor que reconoció como la anciana que había conocido esa mañana.

—¡Ay! ¡Bájame! —, dijo Nick cuando la anciana lo levantó de sus pies y lo impulsó hacia el parche de barro, al que había querido arrojar a Gary un momento antes. —¡Suéltame! —, gritó. —Yo... ¡Agghhh! —. Terminó diciendo cuando la abuela-Bot lo levantó y lo arrojó boca abajo en el barro.

—¡Caramba! — dijo Dick. —¿Cómo es posible que sea tan fuerte?

—Eres un poco gamberro ¿verdad? —, dijo la abuela-Bot mientras Gary y Emily se reían al ver al duro Nick revolcarse en el barro. Se volvió hacia Dick, que miraba la escena con la boca abierta. —¿Es tu turno? —, le preguntó.

—¡No! —, dijo Dick mientras veía a su amigo salir del barro. —¡Déjame en paz!

—Vieja abusona—, dijo Nick, conteniendo las lágrimas de su humillación.

—¡Un momento! —, —¡BUU! —, dijo la abuela-Bot,

momento en el que Nick y Dick decidieron abandonar el campo. Giraron sobre sus talones y se marcharon. En realidad, no corrieron, pero Gary se dio cuenta de que caminaban bastante rápido. No querían saber más de la abuela-Bot, al menos no por el momento.

Emily miró asombrada a lo que le pareció una anciana. —¿Cómo consigues ser tan fuerte a tu edad? —, jadeó. —¡Estoy segura de que mi abuela no podría hacer eso!

—Oh, se mantiene muy en forma—, dijo Gary apresuradamente. —¡Va al gimnasio todos los días! ¡Y también practica kárate! ¿No es así, abuela?

Los ojos de la abuela-Bot giraron como si estuviera asimilando algo. Luego miró directamente a Gary: —¡Afirmativo! Añadido a mi programa.

—¿Programa? —, dijo Emily.

—Su programa de entrenamientos diarios—, dijo Gary. Luego se dirigió a la abuela-Bot: —¡Venga, vamos a casa!

Cuando llegaron a casa, Gary se encontró con la sorpresa de que su madre estaba sentada en una silla bebiendo una taza de té. Iba a contarle lo de la abuela-Bot, pero se dio cuenta de que ella ya se había adelantado. Además, había té y pasteles en la mesa.

—¡Oh, té y pasteles! —, gritó Gary sorprendido. Hacía tiempo que no comían pasteles así.

—Petición positiva—, dijo la abuela-Bot. —Pasteles con incrustaciones de chocolate, cubiertos con glaseado y una cereza montada en cada uno de ellos. El agua se calentaba a 100 grados centígrados para el té.

—Tu abuela tiene una extraña forma de hablar—, dijo Emily cuando entraron juntos.

—Ella... emm... se formó como programadora—, dijo Gary. —No puede perder la costumbre.

—¿No es maravilloso, Gary? —, dijo su madre, con

lágrimas en los ojos, —¡tu abuela Gormley viene a ayudar a cuidarnos! Estoy tan agradecida.

—Sí, madre—, dijo Gary. —Veo que ya se ha presentado.

—Sí, es maravillosa—, dijo su madre. —Ha hecho muchas compras, que ha pagado de su propia cuenta. Estoy muy contenta.

Gary miró a su madre y vio que estaba más feliz de lo que la había visto en mucho tiempo.

También había un brillo en sus ojos, que desde hacía mucho tiempo ya no existía. Se sintió aliviado de que hubiera aceptado a la abuela-Bot como su abuela perdida, pero solo esperaba que su plan del futuro funcionara.

¡Té y pasteles!

Presentó a Emily a su madre y se sentaron a tomar té y pasteles, mientras la abuela-Bot los atendía y repartía los pasteles. Estos estaban deliciosos y se preguntó dónde los habría comprado la abuela-Bot. Emily también se dio cuenta de algo. —¿No quiere tu abuela sentarse a tomar el té con nosotros? —, le susurró a Gary.

Gary estuvo a punto de soltar que las abuelas-robot no tienen que beber té, pero se limitó a decir: —Ella tomará el suyo más tarde. Ven a ver mis inventos.

Fueron al cobertizo y pasaron una hora feliz juntos mientras Gary le mostraba sus inventos a Emily, como el abridor de botellas eléctrico, que casi funcionaba, y el buscador de llaves, que tenía la costumbre de activarse tanto si se perdían las llaves como si no. Sin embargo, a Emily le impresionó la alarma antirrobo que Gary había inventado recientemente, aunque su sirena sonaba como un barco perdido en el mar.

—¡Genial! Estoy muy impresionada—, dijo Emily. —¡Pero de verdad que me tengo que ir a casa ya!

Gary miró su reloj y comprobó que, efectivamente, el tiempo había pasado muy rápido. Hacía mucho tiempo que no hablaba así con una chica o un chico de su edad. Se sentía bien. Y mamá también parecía feliz. La abuela-bot le había alegrado la vida.

CAPÍTULO 7

UN IMPACTO PARA EL 'VIEJO BRIGHTY'

Las cosas estuvieron tranquilas durante un tiempo, con Nick y Dick en un segundo plano después de su visita al barro, y Gary y Emily pudieron recomponer su amistad. Emily le contó a su mamá y a su papá sobre la increíble abuelita de su amigo.

—¿Qué edad tiene esta señora? —, preguntó su padre.

—No sé, pero parece muy anciana—, dijo Emily.

—Extraordinario—, dijo su padre mientras volvía a su periódico de la mañana.

Mientras tanto, Gary y la abuela-Bot habían salido hacia la escuela. Llamaron a Emily y fueron juntos. Vieron a Nick y a Dick por el camino, pero los dos se limitaron a gruñir y a apartarse al pasar. Gary suspiró cuando Emily hizo una mueca ante la terrible pareja.

—Emily—, dijo. —No los provoques.

—No te preocupes—, dijo Emily, —no se atreverán a hacer nada con tu abuela cerca.

—Sí, pero puede que no esté siempre.

—¿Qué quieres decir? Pensé

que habías dicho que se quedaba para cuidarte.

—Sí, pero no sé por cuánto tiempo—, dijo Gary cuando llegaron a las puertas del colegio.

'El Viejo Brighty'

Se habían despedido de la abuela-Bot cuando Gary exclamó de repente: —¡Oh, no!

—¿Qué pasa? —, dijo Emily.

—¡He olvidado la tarea de química en la mesa! —, dijo Gary. —Tengo que entregarlos hoy. El viejo Brighty no va a estar contento.

—¡No, no lo estará! —, dijo Emily. Ella conocía al Sr. Bright. No era realmente muy «brillante» para ser profesor. Y por alguna razón le había tomado antipatía a Gary. *Quizá sea porque Gary parece saber más de química que él,* pensó Emily.

—¡Ay, Dios! Sin duda le gustará ponerme un montón de ejercicios estúpidos adicionales—, dijo Gary. La verdad es que le gustaba la química, aunque no le gustaba el señor Bright, que era un profesor muy aburrido que no conocía muy bien su asignatura. El señor Bright también disfrutaba imponiendo castigos tediosos e inútiles a los chicos que le desagradaban o que no le caían bien. De hecho, era un poco como Nick o Dick: un verdadero malvado, pero disfrazado de profesor de química.

Cuando llegó la hora de la clase de química, Gary se preparó para lo que sabía que iban a ser los comentarios sarcásticos del señor Bright. Sabía que el viejo y miserable profesor estaría encantado de echarle la bronca por los deberes olvidados.

—Ahora, entrégame tu tarea—, dijo el Sr. Bright. —Luego podrás tomar algunas notas—. Gary silbó para sí mismo con frustración, ya que sabía que este era un truco que el viejo

Brighty hacía a menudo: poner a la clase a trabajar mientras él calificaba las tareas.

Solo porque no quiere hacerlo en casa, pensó Gary. *Debería estar enseñándonos química en su lugar.*

—Vamos a ver tu tarea—, dijo el viejo Brighty, asomando su larga nariz con su habitual mirada mezquina. Apuntó algunos números de páginas de los libros de texto en la pizarra. —Ahora, tomen nota de esto mientras yo califico sus tareas. Espero que todos la hayan entregado.

Gary no dijo nada. Esperaba que Brighty no se diera cuenta. Miró a Emily, que estaba trabajando, y deseó estar hablando con ella en lugar de hacer esas aburridas anotaciones sobre cosas que ya conocía. Pero después de una media hora, el profesor terminó de corregir y levantó la vista: —Gary Gormley—, dijo, —¿dónde están tus deberes?

—Yo... yo...—, tartamudeó Gary, poniéndose rojo mientras toda la clase lo miraba. Qué raro que Gary Gormley no hubiera hecho la tarea, pensaban. El viejo Brighty iba a sacarle el máximo provecho a esto.

—Ah, ¿no la has hecho? ¡Niño perezoso! ¡Lo sabía! —, gritó el profesor, casi triunfante por poder encontrar fallos en este chico que parecía mucho más inteligente que él. Miró a la clase y luego fijó su mirada en Gary. —Siempre supe que no eras tan listo como decías, Gary el corto", dijo el profesor, dirigiéndose a Gary por su horrible apodo. Algunos profesores son así. Muy malos.

Emily saltó: —¡Eso no es justo, señor! No debe llamar a Gary así.

—¡Cállate, Emily Truss, o tú también te meterás en problemas! —, dijo el profesor con rudeza.

Entonces, de repente, un chico en la parte delantera de la clase gritó: —¡Mirad eso!

Una niebla verde se estaba formando en la parte delantera

del aula, encima del banco del profesor, justo encima de donde el Sr. Bright había estado calificando los cuadernos. El chico y uno o dos más miraron con cara de asombro cuando la niebla se convirtió en un cuaderno verde que aterrizó con un golpe en el escritorio. El Sr. Bright se sobresaltó al oír el ruido y luego se desvió de su reprimenda a Gary Gormley. Allí, en el escritorio, frente a él, había un cuaderno de ejercicios con «Gary Gormley - Química», escrito por delante. Sorprendido, miró las páginas y vio los deberes que Gary había hecho la noche anterior.

—¿Cómo... cómo ha llegado este cuaderno hasta aquí? —, balbuceó el profesor, con la cara muy roja.

—Acaba de bajar del techo, señor—, dijo el chico de primera fila.

—¡Sí, bajó de esa niebla verde! —, dijo otro.

El profesor miró furioso a su alrededor. —¡No seáis tontos! Esas cosas no ocurren. Tengo ganas de castigaros por contar esas historias. Pero...—, continuó, —¿cómo pudo llegar aquí tu cuaderno, Gary Gormley?

Gary se encogió de hombros. —Parece que la he entregado, señor—, dijo.

—Pero... pero...—, tartamudeó el profesor. —Estoy seguro de que antes no estaba aquí—. Gary puso una mirada de inocencia herida mientras el profesor lo miraba fijamente. Entonces el Sr. Bright sacudió su canosa cabeza y dijo: —Oh, bueno, ya está aquí. Bien, clase, continuad con vuestro trabajo mientras lo califico.

El Sr. Bright no tardó en calificar el trabajo de Gary, ya que todo estaba correcto. El profesor estaba obviamente exasperado por no encontrar algo malo en él. La mayoría de los profesores se alegrarían de tener a un chico inteligente como Gary en su clase, pero no el señor Bright, que sólo quería encontrar fallos en la gente.

La lección continuó a trompicones con el Sr. Bright intentando hacer un experimento que salió mal, como siempre. Gary trató de ayudar haciendo algunas sugerencias, pero el Sr. Bright ya estaba de muy mal humor y le dio un golpecito en la cabeza.

—¡Cállate, Gary Gormley! —, dijo. —¡Yo soy el profesor de esta clase!

—No lo parece—, llegó una voz que Gary reconoció como la de Emily.

—¿Qué? ¿Qué fue eso? —, balbuceó el Sr. Bright mientras la clase se reía.

—Eh... he dicho que nos gusta, señor—, dijo Emily, poniendo una mirada dulce de niña inocente. —Nos gusta tenerlo como profesor—, añadió.

—Oh... ¡gracias! —, dijo el profesor, contento por el cumplido.

¡Pequeña mentirosa! pensó Gary.

CAPÍTULO 8

A TRAVÉS DE LA BRECHA ESPACIO-TIEMPO

La lección del Sr. Bright se alargó hasta el final, cuando la clase ya estaba aburrida de sus divagaciones. Hubo un alivio general cuando sonó la campana y la clase salió en tropel.

—Oye, Gary—, dijo el chico que había estado delante. —¿Qué fue lo que pasó con tu cuaderno? Quiero decir, estoy seguro de que apareció en esa niebla verde y luego cayó en el escritorio de enfrente. ¿Cómo lo hiciste?

—No hice nada—, dijo Gary.

—¿Eres una especie de mago? Quiero decir, ¿eres como Harry Potter?

—¡Claro que no! Soy un científico.

—¡Bueno, eres un poco raro!

—¡Gracias!

—¡De nada! —, dijo el chico mientras salía corriendo.

—Bueno, ¿qué fue todo eso? —, preguntó una voz al hombro de Gary. Era su amiga, Emily Truss.

Gary sonrió. —¡No tengo ni idea!

—¿Realmente ese cuaderno apareció de la nada?

—Por supuesto que no. Cosas así no ocurren.

—Bueno, me dijiste que lo habías olvidado. Y Brighty dijo que no estaba allí.

—Sí, lo hizo—. Gary se removió incómodo. Intuía quién podía estar detrás de este misterio, pero no lo sabía con certeza. Por supuesto, sabía que no debía contarle a Emily lo de la abuela-Bot.

—Digamos que fue muy extraño—, dijo Gary. —Suceden cosas extrañas, incluso en la ciencia.

—Especialmente en la clase del viejo y tonto Brighty—, dijo Emily con una risa. —Bueno, ciertamente animó las cosas. No tiene remedio. ¿Cómo puede ser profesor alguien tan estúpido? Tú deberías enseñarnos a nosotros en lugar de él.

—Ay, vamos—, dijo Gary. —Solo soy un niño.

—Pero tú eres muy inteligente—, dijo Emily. Gary se rio, pero luego la miró y se dio cuenta de que estaba siendo sincera. Se sintió bien. Emily estaba empezando a gustarle mucho.

Al terminar las clases, salieron juntos por la puerta del colegio. Por el camino se encontraron con algunos niños que también sentían curiosidad por la misteriosa aparición del cuaderno de química de Gary. Él solo se limitó a encogerse de hombros ante las preguntas, como si eso ocurriera todos los días, pero en el fondo tenía una gran curiosidad por saber qué había pasado, y sabía a quién se lo preguntaría cuando llegara a casa.

—¿Y qué pasó con mi cuaderno de química? — le preguntó Gary a la abuela-Bot cuando llegaron a casa. —Apareció de repente de la nada—. Se rio. —¡Deberías haber visto la cara del viejo Brighty!

—¿Brighty?

—El profesor de química.

—¿Ese viejo miserable? ¡Está en mis archivos!

—¿En tus archivos?

—¡Seguro! ¡Quería hacer miserable tu vida, obviamente!

—¡Ay, Dios! —, dijo Gary. —No me había dado cuenta de que fuera tan malo.

—Era bastante malo, según el programa. No le gusta que tu aprendizaje sea avanzado.

—Pero ¿cómo apareció mi cuaderno? ¿Tuviste algo que ver con eso?

—¡Afirmativo!

—Pero ¿cómo? Recuerdo que lo dejé sobre la mesa.

—¡Claro! Lo vi allí y decidí enviártelo.

—¿Me lo enviaste? ¿Cómo?

—Por una brecha en el continuo espacio-tiempo.

—¿Una qué? ¿Una brecha?

—¡Afirmativo!

—Pero ¿cómo he aprendido a hacer eso?

—¡La respuesta a eso no está en mis archivos!

—Pero debo haber descubierto cómo hacerlo—, se dijo Gary, —o no podría haber programado este robot para hacerlo—. Se sintió muy entusiasmado por lo que le depararía el futuro. Pensó en Emily y se preguntó si ella formaría parte de él.

—Eso espero—, murmuró para sí mismo. —Ella es genial.

CAPÍTULO 9

UNA PERSECUCIÓN EN EL PARQUE

El sábado siguiente la madre de Gary se sentía algo mejor, así que decidieron llevarla al parque en la silla de ruedas, ya que hacía un buen día y el sol brillaba. Gary le pidió a Emily que los acompañara y, para su alegría, ella dijo que llegaría después de comer. Así que a las dos de la tarde Emily y Gary, acompañados por la abuela-Bot, empujaron a mamá en su silla de ruedas.

La abuela-Bot caminaba detrás de ellos mientras Gary y Emily charlaban y mamá saludaba a todos los que se cruzaban.

—Tu abuela no habla mucho—, comentó Emily.

—Emmm... No, no lo hace—, dijo Gary. —Tiende a ser muy reservada.

—¿La encuentras un poco... inusual? —, dijo Emily, balanceando sus coletas mientras miraba a la abuela-Bot.

—Supongo que sí—, dijo Gary. —Pero es muy inteligente y siempre está pensando en algo.

—¿De ahí sacaste tu cerebro? —, dijo Emily con esa sonrisa ganadora que tanto le gustaba a Gary.

—No lo sé—, dijo Gary,

'No lo sé, dijo Gary'

poniéndose un poco rojo. —No pensaba que fuera tan inteligente.

—¡Qué te pasa, Gary Gormley! —, rio Emily, echando sus trenzas hacia atrás, con sus pecas bailando al sol en su cara. —¡Sabes tan bien como yo que eres muy inteligente! Así que nada de tu falsa modestia, pequeño cerebrito.

La cara de Gary se sonrojó un poco más. —Ahora me estás avergonzando.

—Oh, todo el mundo lo dice, así que ¿por qué no admitirlo?

—¿De verdad? Pensé que era Gary el corto.

—Solo te llaman así porque están celosos de ese cerebro que nada en esa cabeza tuya—, resopló Emily. —Porque, puedes hacer problemas de matemáticas en tu cabeza que la mayoría de nosotros no puede hacer con una tonelada de esfuerzo.

—Es muy amable que digas eso.

—Lo digo porque es VERDAD—, dijo Emily con énfasis.

Gary se dio cuenta de lo mucho que le gustaba Emily. —Eres una verdadera amiga, Emily—, dijo.

Llegaron al parque tras una media hora de camino. Gary se alegró al ver que el rostro pálido de su madre se iluminaba cuando atravesaron las puertas de hierro forjado y vio el camino familiar con árboles a cada lado. —Es bueno estar aquí de nuevo—, dijo.

Al final del camino había un viejo edificio, que solía ser la casa señorial pero que ahora se había convertido en un museo. A Gary le encantaba entrar en el museo y ver todas las exposiciones, pero sabía que hoy no entrarían porque había salido el sol y que su madre necesitaba todo el sol posible.

Subieron por el camino hasta la vieja casa. A un lado de la

casa había unas jaulas con pájaros dentro, así que se detuvieron a mirarlos.

—Ay, mira—, dijo Emily. —¡El pavo real tiene la cola levantada!

Se dirigieron hacia donde una pequeña multitud se había reunido alrededor de la jaula mirando al pavo real cuando Gary oyó un grito a su lado que parecía la voz de su madre: —¡Oh! ¡Mi bolso!

—¿Qué?

—¡Mi bolso! —, dijo su madre desesperada. —¡Se lo han llevado!

Gary levantó la vista y vio la figura de un joven, probablemente al final de la adolescencia, de complexión fuerte y con el pelo corto y arenoso, que corría por el camino llevando el bolso de la madre de Gary, que obviamente acababa de robar.

—¡Deténganlo! —, gritó Gary, saliendo tras el asaltante tan rápido como pudo. Gary no era muy atlético, lo suyo eran los estudios, no los deportes, y no podía correr muy rápido, pero persiguió al ladrón tan rápido como pudo. Por supuesto, no sabía cómo iba a enfrentarse al joven de aspecto fornido si lo atrapaba, pero sabía que tenía que hacer algo para rescatar el bolso de su madre.

Corrió y corrió hasta que sintió que le iban a estallar los pulmones, pero de repente se dio cuenta de que alguien más corría a su lado. De hecho, se dio cuenta de que otra persona le había adelantado y corría a toda velocidad hacia el ladrón de bolsos que huía. Era la abuela-Bot, con la falda levantada y corriendo como un tren expreso. Gary no sabía si alegrarse o consternarse. Se alegraba de contar con la ayuda de la abuela-Bot, pero sabía que tendría que explicar un poco cómo una anciana podía correr como una velocista olímpica.

De todos modos, por ahora tenía que ser un observador mientras veía a la abuela-Bot persiguiendo al joven rufián cuando llegaron al grupo de árboles en el borde del parque. Vio que el muchacho miraba a su alrededor con una mirada asustada cuando la abuela-Bot se acercó y lo derribó con un placaje de rugby, digno de cualquiera de los que han adornado el césped de «*Twickenham*».

Gary se acercó corriendo para ver a la abuela-Bot sentada sobre el joven, que parecía haberse quedado sin aliento por la reciente y violenta colisión y estaba gimiendo algunos improperios irrepetibles. El bolso arrebatado estaba tirado a unos metros, así que Gary lo recogió. —¡Vamos! —, le dijo a la abuela-Bot. —Esto es lo que queríamos. Volvamos con mamá.

—¿No llamarás a la policía? —, preguntó la abuela-Bot.

—No, eso haría las cosas incómodas. Deja que se vaya. ¡Lárgate, escoria! Deberías estar avergonzado. Arrebatarle el bolso a una enferma.

La abuela-Bot se apartó del joven, que se puso en pie tambaleándose y aun murmurando cosas horribles sobre lo que les iba a hacer.

—Pero sólo eres una anciana—, dijo asombrado.

—Sí, y si no te vas, contarás que una anciana te ha golpeado con una sola mano—, dijo Gary. —¿Qué dirán tus amigos de eso?

—Tú... tú...—, dijo el joven, con aspecto amenazante, pero luego se dio cuenta de que otras personas estaban corriendo hacia el lugar, así que giró sobre sus talones y salió corriendo, para alivio de Gary. No le cabía duda de que la abuela-Bot sería capaz de manejar las cosas, pero no quería que la gente se preguntara cómo una mujer tan anciana no solo podía correr como el viento, sino que también era experta en cinco tipos de judo y karate.

—¿Has recuperado el bolso, hijo? —, preguntó un hombre que se había unido a la persecución.

—Sí, gracias.

—Pero... ¿cómo? —, dijo el hombre, con cara de desconcierto.

—Oh, se le cayó por las prisas.

—Oh, eso es bueno. Estos jóvenes malcriados deberían ser azotados. ¿Pero no he visto a esta señora persiguiéndolo?

—Sí, esta es mi... mi abuela.

—Extraordinario—, dijo el hombre. —Apenas parece faltarle el aire. Debe mantenerse muy en forma.

—¡Afirmativo! Todos los circuitos están bien ajustados—, dijo la abuela-Bot.

—Quiere decir que va al gimnasio con regularidad—, se apresuró a decir Gary mientras los alejaba a toda prisa, dejando al hombre con la mirada algo sorprendida.

La madre de Gary también se quedó con la boca abierta cuando volvieron, pero estaba encantada de recuperar su bolso. Para alivio de Gary, ella no había visto el placaje de rugby volador, así que pudo contarle la historia de que había encontrado el bolso donde el joven lo había dejado caer. Al fin y al cabo, razonó, no era una gran mentira; de hecho, no era ninguna mentira, ya que había encontrado el bolso en el suelo. Solo que no era toda la verdad.

Desgraciadamente, Emily fue más difícil de convencer. —Nunca he visto a una anciana correr así, Gary—, dijo, arrugando las pecas de su nariz mientras volvían a casa. —¿Estás seguro de que tu abuela es normal?

—Bueno, es un poco inusual—, dijo Gary, mirando a la abuela-Bot, que estaba empujando a su madre y charlando con ella.

—Pero ¿la forma en que habla? ¿Y correr así? ¿Y es capaz de enfrentar a Dick y Nick a su edad? ¿Cómo es posible?

—Emm... realmente no lo sé—, dijo Gary. —El caso es que yo también la conozco desde hace poco tiempo.

—Ya veo—, dijo Emily con cierta duda. Gary la miró y decidió en ese momento que su mejor amiga tendría que saber muy pronto la verdad sobre la abuela-Bot.

CAPÍTULO 10

LA ABUELA TIENE UN PROBLEMA

El momento de la verdad sobre la abuela-Bot llegó más rápido de lo que Gary había previsto. Unos días más tarde, estando en la escuela como de costumbre, Dick y Nick se acercaron con un aspecto algo amenazante. No tenía la menor idea de lo que querían, ya que no le habían molestado durante algún tiempo porque sabían que Gary tenía una abuelita bastante inusual. De hecho, se había corrido la voz en la escuela sobre Gary y su abuela y de no meterse con ellos, por lo que durante bastante tiempo nadie había llamado a Gary «Gary el corto».

Sin embargo, ahora parecía que Dick y Nick iban en serio cuando se acercaron a él con el ceño fruncido.

—¡Oye, tú! —, dijo Nick, que era el más inteligente de la pareja (lo cual no es decir mucho) y que generalmente actuaba como portavoz. —Hemos decidido que ya estamos hartos de ti, así que nos encargaremos de ti. Estamos hartos de que esa abuelita tuya nos estropee la diversión y nos meta en problemas, así que tenemos un plan.

—¡Sí, tenemos un plan! —, repitió Dick con una sonrisa en su estúpida cara.

—Bueno, espero que sea algo bueno—, dijo Gary. Ahora era mucho más audaz con los dos malvados. —De lo contrario, puedo ver que terminaréis de nuevo en un charco.

—Oye tú... tú...—, dijo Dick, apretando los puños.

—Ahí está el señor Carter—, dijo Gary, señalando al profesor que se paseaba de guardia por el patio. —¿Quieres que te vea amenazándome?

Nick y Dick miraron a su alrededor, captando la atención del Sr. Carter, que les levantó un dedo de advertencia. —De acuerdo—, dijo Nick, señalando con el dedo a Gary, —pero tenemos un plan, ¡sabes!

—Tenemos un plan—, repitió Dick.

Gary se preguntó cómo alguien podía parecer tan poco inteligente. *Es decir,* razonó, *si vas a buscar a alguien, ¿por qué decírselo antes?* Era el tipo de estupideces que hacían Nick y Dick. Sin embargo, sabía que debía tomarse la amenaza en serio y se alegró de haber quedado con la abuela-Bot a la salida del colegio para dar un paseo por la ciudad y hacer algunas compras. Eso también resolvería el problema de un encuentro con Nick y Dick en el camino a casa.

'Hay un problema'

Llegó el final de las clases y la abuela-Bot fue a recibir a Gary cuando salía del colegio junto con Emily. Como ya se sabía que estaban juntos, algunos chicos de la clase le silbaban a Gary. No es que le importara, ya que consideraba que Emily era la mejor amiga que había tenido nunca. De todos modos, se sintió aliviado al encontrar a la abuela-Bot esperándolos en la puerta.

—Vamos a la ciudad—, dijo Gary.

—Negativo—, dijo la abuela-Bot. —No puedo ir. Hay un problema.

—¿Problema? —, dijo Gary, con cara de desconcierto. —¿Qué problema?

—Me queda muy poca carga en mis circuitos—, dijo la abuela-Bot.

Con eso, Gary se dio cuenta de repente de que había olvidado poner a cargar a la abuela-Bot la noche anterior. *Cómo pude ser tan descuidado*, pensó, *especialmente con Nick y Dick en pie de guerra.*

—Será mejor que vayamos directamente a casa—, dijo Gary. —Solo espero que tengas suficiente carga para llegar allí.

—¿Qué es todo esto? —, preguntó Emily, que acababa de llegar para unirse a ellos después de charlar con un amigo y solo había captado el final de la conversación. —¿Qué es todo esto de los circuitos y la carga?

—Ehh... nada—, dijo Gary apresuradamente. —El hecho es que mi abuela... mi abuela se siente bastante cansada, así que no quiere ir a la ciudad.

—Oh, está bien—, dijo Emily. —Podemos ir por nuestra cuenta.

—No, nosotros... ¡no podemos! —, dijo Gary apresuradamente. —Tenemos que llevar a la abuela a casa.

—Oh, ¿está enferma entonces? —, preguntó Emily con una mirada compasiva hacia la abuela-Bot.

—Sí, no se siente muy bien. Vayamos al centro otro día.

—Está bien—, dijo Emily, poniendo cara de circunstancias. —Pero tenía ganas de ir a la ciudad—. Se volvió hacia la abuela-Bot. —Siento mucho que no estés bien—, dijo.

—Solo estoy baja de carga—, dijo la abuela-Bot.

—¿Baja de carga? —, susurró Emily a Gary. —Tu abuela dice algunas cosas peculiares.

—Sí, lo sé—, dijo Gary. —Pero llevémosla a casa, por favor, Emily. Vamos, amiga.

Emily sonrió un poco desconcertada. —Bueno, está bien—, dijo, arrugando las pecas

de su nariz. —Podemos ir a la ciudad otro día.

Empezaron a caminar hacia su casa con Gary sujetando el brazo de la abuela-Bot y Emily mirando con simpatía. Todo iba bien hasta que llegaron a la mitad del camino y decidieron tomar un atajo a través de un pequeño grupo de árboles. Mientras lo hacían, la abuela-Bot empezó a tambalearse de repente y, con el sonido de un silbido agudo, se cayó al suelo.

—¡Oh, no! —, dijo Gary. —¿Qué hacemos ahora?

—Tu abuela se ha desmayado—, dijo Emily con un poco de pánico. —¡Rápido, tenemos que llamar a una ambulancia, pobrecita!

—¡No, eso no! —, dijo Gary. —Tengo que llevarla a casa.

—Pero es una mujer mayor y está inconsciente—, dijo Emily.

—No, no lo está—, dijo Gary. —Ella... solo se ha quedado sin carga.

—¿Qué quieres decir?

—No vas a creer esto, Emily, ¡pero es un robot!

—¿Qué? —, chilló Emily. —¿Un... un robot? ¿Qué dices?

Gary respiró hondo y, en el escaso tiempo que sabía que tenían disponible para las explicaciones, le contó a Emily la historia de cómo había llegado la abuela-Bot, de dónde había venido y por qué.

Sus ojos se abrieron como platos. —¡Es increíble!

—Sí—, dijo Gary, —y yo mismo no lo habría creído si no hubiera ocurrido de verdad. Pero ahora tengo que llevarla... a casa para recargarla, y necesito tu ayuda.

—¿Qué puedo hacer? —, dijo Emily.

—Voy a buscar la silla de ruedas de mamá. Puedo decirle que la abuela se ha hecho daño en la pierna o algo así. Quédate aquí con la abuela-Bot hasta que vuelva.

—De acuerdo—, dijo Emily, —pero asegúrate de darte prisa, ya que no quiero que la gente venga a preguntar por qué esta anciana está en el suelo y llame a la ambulancia.

—No te preocupes—, dijo Gary. —La gente no suele venir aquí a estas horas.

—¡Rápido!

—¡Me voy!

Gary salió corriendo, dejando a Emily mirando ansiosamente a su alrededor con la abuela-Bot a sus pies. Corrió hasta su casa y se sintió bastante aliviado al ver que su madre había subido a descansar. Cogió la silla de ruedas del porche y se apresuró a ir al bosque donde esperaba encontrar a Emily.

Para su alivio, ella seguía allí con la abuela-Bot. —Debo decir que eres muy inteligente al inventar esta cosa—, le dijo mientras subían a la anciana a la silla de ruedas y la ataban.

—No soy yo, es mi futuro yo—, dijo Gary con una sonrisa. —Ahora vamos a llevarla a casa.

Empujaron la abuela-Bot por el sendero irregular del bosque hasta llegar a la carretera y luego empezaron a recorrer la acera hasta llegar a casa. Acababan de doblar una esquina cuando Emily dijo: —¡Alto!

—¿Qué? —, dijo Gary.

—¡Nick y Dick!

—¡Oh, no!

Gary miró y allí estaban los dos jóvenes rudos que habían amenazado con «atraparlo» más temprano ese día. No sabía si esto formaba parte de ese plan o si simplemente estaban allí. Sea como fuere, no quería averiguarlo encontrándose con ellos.

Emily le cogió del brazo. —Tengo un plan—, dijo. —Yo iré

a distraerlos y tú pasarás cuando estén de espaldas. Dame un par de minutos y cuando me oigas gritar, pasa y vete a casa. Nos encontraremos allí.

—¿Estarás bien? —, dijo Gary con ansiedad. —No me gustaría que te metieras en algún problema con esos dos.

—No te preocupes, no se atreverían.

Emily se escabulló, dejando a Gary sintiendo mariposas en el estómago. Por supuesto, no quería ningún problema con Nick y Dick, y desde luego no quería causarle ningún problema a Emily. Pero sabía que tenía que llevar a la abuela-Bot a casa sin ser visto. Una o dos personas llegaban a casa del trabajo y miraban con curiosidad a la anciana en la silla de ruedas. Gary les sonrió con desgana.

De repente oyó un chillido y un grito. Miró y vio a Emily tirada en el suelo temblando y llorando. Vio que Nick y Dick se daban la vuelta y corrían hacia el lugar de donde provenía el ruido. Gary aprovechó la oportunidad de la distracción y empujó la silla de ruedas tan rápido como pudo, pasando por donde estaban los dos mocosos, hasta llegar a su casa. Llegó allí cinco minutos después, sin aliento, y arrastró a la abuela-Bot al interior de la casa y la puso, o lo puso, a cargar junto al fuego. Las orejas de la abuelita empezaron a brillar y Gary supo, para su alivio, que en una hora el robot tendría suficiente carga, al menos para el resto de la noche. Solo esperaba que su madre no bajara y la encontrara. Sin embargo, para su alivio, cuando fue a su dormitorio, su madre estaba dormida.

Mientras tanto, había que ocuparse de Emily. Gary salió a la calle y, para su tranquilidad, encontró a Emily caminando hacia él.

—¡Uf! —, dijo. —Me preguntaba qué te había pasado. ¿Qué demonios estabas haciendo? Emily sonrió. —¡Haciéndome el muerto!

—¿Haciéndote el muerto?

'¡Tienes mucho que contarme, Gary Gormley!'

—Sí, grité y rodé una y otra vez para hacer correr a esos dos.

—Pero... ¿qué...?

—Bueno, entonces me hice el muerto y me quedé quieta un rato para darte tiempo a pasar.

—¿Y entonces?

—Me levanté y me fui.

—¿Pero Nick y Dick no hicieron nada?

Emily se rio, con sus pecas bailando. —No, porque en ese momento se acercaban otras personas para ver por qué gritaba. Creo que pensaban que esos dos idiotas me estaban asaltando o algo así. En fin, me levanté y cuando vi que no había moros en la costa volví aquí.

—Pero ¿dónde estaban Nick y Dick?

—Creo que se alarmaron un poco cuando empezó a venir gente y se fueron.

—Pero ¿cómo sabías que la gente vendría y asustaría a esos dos?

—No lo hice—, dijo Emily con frialdad. —¡Solo me arriesgué! No quería que nadie descubriera tu secreto.

—¡Vaya, Emily! —, dijo Gary. —Eres la mejor amiga del mundo. ¿Cómo puedo agradecértelo?

—Sentándote con un vaso de limonada y contándome todo sobre tu abuela-Bot—, dijo la guapa chica con una sonrisa. —¡Tienes mucho que contarme, Gary Gormley, y estoy deseando saberlo todo!

CAPÍTULO II
UN DÍA FUERA

Gary se sintió un poco aliviado de que su mejor amiga conociera a la abuela-Bot. Sin embargo, le daba un poco de ansiedad pensar que ella pudiera desvelar la situación, así que juntos hicieron un juramento de sangre de no revelar el secreto de la abuela-Bot a nadie. Era algo que Gary había visto en una película del oeste, en la que se cortaban las manos y dejaban que la sangre se mezclara al juntar las palmas de las manos. Solo que a Emily no le apetecía cortarse la palma de la mano (tampoco a Gary, pero no lo dijo), así que se conformaron con pincharse los dedos (con una aguja esterilizada, por supuesto) y mantener las puntas de los dedos juntas mientras hacían el solemne voto de no revelar nunca el secreto.

Cuando terminaron, Emily se sacudió la coleta que tanto le gustaba a Gary y dijo: —Mi padre leyó ayer en el periódico que este fin de semana hay una jornada de puertas abiertas en la base local de las Fuerzas Aéreas. ¿Por qué no vamos? Podría ser divertido.

—Claro—, dijo Gary. —Recuerdo haber ido a una hace unos años, cuando tenían una allí. Había hamburguesas y perritos calientes para comer, y puestos en los que podías ganar premios.

—¿No hay estadounidenses sitiados allí?.

—Sí. En nuestra escuela asisten uno o dos de sus hijos.

—¿Así que de ahí vienen?

—Sí, pero en realidad no los conozco ya que están en otro curso. Pero de todos modos será divertido.

Gary hizo una pausa y pensó. —Pero también me llevaré a la abuela-Bot.

—¿Es necesario?

—Sí, en caso de que Nick y Dick o sus horribles compañeros estén allí. Suelen ir a sitios así y tratar de hacer la vida de todos miserable.

—Bueno, si lo hacen y la abuela-Bot está allí, podría ser más divertido—, dijo Emily con una risita.

—Sí, pero recuerda que la abuela solo está ahí para protegernos de los matones y evitar que nos hagan pasar un mal rato. No debemos utilizarla para librar una guerra—, dijo Gary.

—Aunque me gustaría—, dijo Emily. —Tú conoces el futuro; debes ser muy inteligente para inventar algo así.

—Es curioso—, dijo Gary, —pero no me considero inteligente. Y no olvides que los niños del colegio me llamaban «Gary el corto».

—Oh, cabeza de chorlito—, dijo la chica, arrugando la nariz. —Solo lo hacen porque están celosos de la cantidad de cerebro que tienes.

—Gracias, Emily, eres una buena amiga—, dijo Gary, sonrojándose ligeramente. Por supuesto que sabía que era inteligente, pero era agradable escuchar a otras personas decirlo.

Llegó el sábado y Gary y Emily partieron hacia la base de las Fuerzas Aéreas con la abuela-Bot a cuestas. Emily ya no tenía tanta curiosidad por saber qué era la abuela-Bot, pero cada vez que la miraba se preguntaba cómo rayos su sesudo amigo había conseguido inventar algo así. El robot caminaba silenciosamente detrás de ellos hasta que llegaron a las puertas de la base, donde había carteles, pancartas y serpentinas anunciando la jornada de puertas abiertas.

Sin embargo, al llegar, Gary se detuvo y señaló hacia adelante. —¡Oh, no! Mira quién está aquí—. No era otro más que Dick el pesado, con un aspecto convenientemente amenazador. Gary sabía que lo más probable es que Nick también estuviera por aquí, así que se alegró de tener a la abuela-Bot con él.

—¡Hola, es el mismísimo cavernícola! —, dijo Emily con una risita. Señaló a Dick, que estaba observando el terreno. —¡Debería ganar un premio por tener el cerebro más pequeño de la historia!

Dick se acercó a trompicones. —¿Estás hablando de mí? —, dijo.

—¿Y si lo hiciera? —, dijo Emily. —Es un país libre.

—¡Bueno, solo observa, vale! — dijo Dick.

—Eso es lo que hago—, dijo Emily. —¡La cosa frente a mí sin cerebro!

—Porque yo... yo...—, amenazó Dick.

—¿Qué vas a hacer? —, dijo Gary, haciéndose a un lado para que Dick pudiera ver a la abuela-Bot.

—¡Oh, eres muy valiente con tu abuelita acompañándote, no es así! —, dijo Dick.

—Porque un chico grande y rudo como tú no se asusta de una anciana, ¿verdad? —, dijo Emily con una risa.

—¡BUU! —, dijo la abuela-Bot, momento en el que Dick giró sobre sus talones y se marchó con cierta prisa. —¡Ya veréis! —, gritó por encima del hombro como un gesto de despedida algo desesperado.

—Eso fue un poco atrevido, Emily—, dijo Gary. —No puede evitar ser tan estúpido.

—Sí, pero puede ayudar a las personas a las que intimidan—, dijo Emily. —Eso es lo que realmente me molesta. Odio a los acosadores. Me alegro de que tu... em... abuela haya aparecido cuando lo hizo—. Se giró y le dedicó una sonrisa dc admiración a la abuela-Bot, que le devolvió la sonrisa. —No creerías que no es humana—, dijo Emily.

'¿Eh, están hablando de mí?'

—Venga, vamos a comer algo—, dijo Gary, deteniéndose junto a un puesto que vendía hamburguesas y perritos calientes. —¿Qué vas a pedir?

—¿Podemos permitírnoslo? —, preguntó Emily, consciente de lo escaso de dinero que solía estar Gary.

—Claro—, dijo Gary.

—Pero ¿cómo?

—La abuela-Bot puede acceder a mi futura cuenta bancaria.

—¡Guau! —, dijo la chica. —¿Cómo...? ¿Dónde...? Bien, ¡me rindo! Tomaré un perrito y una Coca-Cola.

Gary pidió lo mismo que Emily y luego una hamburguesa y una bebida más. La abuela-Bot se quedó apoyada en el puesto mientras ellos comían.

—¿No quiere nada? —, dijo Emily. Entonces su cara cambió. —Por supuesto que no, ella es...".

—¡Emily, cállate! —, dijo Gary. —No quiero que nadie más lo sepa. Alguien podría escucharnos.

—Está bien. No hace falta que me grites—, dijo Emily con un mohín.

—Bueno, es importante que la gente no empiece a hacer preguntas. Es mi vieja abuelita.

—¡Claro! —, dijo una voz detrás de ellos, y ambos miraron para ver a la abuela-Bot allí de pie. —Una charla descuidada deja al descubierto el secreto. Estoy aquí como su abuelita. No hablen más así, por favor.

—Lo siento, abuela-Bot—, dijo Emily, con un aspecto bastante escarmentado.

—No importa, no hay daño—, dijo Gary reconfortantemente. —Vamos a ver lo que está pasando allí, parece interesante.

CAPÍTULO 12

LA ABUELA GANA, ¡SIEMPRE!

Se acercaron a los puestos instalados, cada uno de ellos atendido por uno de los miembros de la base. La jornada de puertas abiertas se había organizado a favor de la organización benéfica a la que apoyaban los aviadores estadounidenses, por lo que había varios puestos en los que se podían ganar cosas si se pagaba por participar. En uno de ellos había un tarro que contenía chucherías, por las que Gary sentía una gran predilección. Podías ganar el tarro adivinando cuántos había dentro. La mujer, que llevaba uniforme, siendo obvio que era parte del personal de la base, le dijo a Gary con un amplio acento estadounidense: —¡Vamos, cariño! Adivina cuántos hay en el tarro y el que más se acerque lo ganará—.

Gary pagó el dinero y miró cuidadosamente el frasco. ¿Cuántas chucherías contiene? Estaba evaluando la cosa y casi listo para hacer una conjetura cuando escuchó una voz detrás de él.

—291.

Gary se volvió hacia la abuela-Bot: —¿Estás segura?

—¡Afirmativo! 291.

—De acuerdo—, dijo Gary. —Te tomo la palabra.

Pagó su dinero, escribió su nombre y su dirección en el formulario y anotó el 291 al lado en el espacio previsto. —Solo espero que tengas razón—, le dijo a la abuela-Bot mientras se alejaban.

Cantidad segura.
291, sin duda!

—Cantidad segura. 291, ¡sin duda! —, dijo la abuela-Bot. —¿Por qué lo preguntas?

—Deja de preguntar, Gary Gormley—, dijo Emily. —No tengo ni idea de cuántos había allí, así que la suposición de tu abuela es probablemente tan buena como cualquier otra.

"No es adivinar. Es un dato seguro—, dijo la abuela-Bot.

—Lo siento, abuela—, dijo Emily. —¡Oye! ¿Puedes lanzar dardos, Gary?

Estaban en un puesto en el que había naipes clavados boca abajo en la pared de atrás y si metías tres dardos en uno ganabas un premio, dependiendo del número que tuviera el naipe. Había premios con los números debajo, pero parecía que se habían llevado muy pocos. —Supongo que la gente de aquí no es muy buena en los dardos—, dijo Gary. —Pero vamos a intentarlo.

A Gary se le daban bien los dardos, ya que tenía una vieja diana clavada en su cobertizo. Le gustaba lanzar unos cuantos dardos mientras pensaba qué inventar a continuación. Pero, aunque clavó un par de cartas, no estuvo ni cerca de conseguir los tres dardos necesarios en una carta para ganar. Emily lo hizo aún peor. Consiguió meterlo en una de las tres cartas, pero fue más por suerte que por tino.

—Déjame intentarlo—, dijo la abuela-Bot.

—¿Tú? —, dijo Gary.

—¡Afirmativo! —, dijo la abuela-Bot, tomó los tres dardos mientras Gary pagaba el dinero.

—¿Seguro que esa anciana puede ver las cartas? —, dijo el hombre que atendía el puesto. —Parece demasiado anciana para este tipo de cosas—. Entonces, de repente, gritó: —¡Caramba! —, mientras la abuela-Bot enviaba tres dardos a una carta con una precisión asombrosa.

El dueño del puesto miraba con la boca abierta mientras Emily jadeaba: ¿no había nada que esa cosa no pudiera hacer?

—Bueno, supongo que usted gana, señora—, dijo el hombre, bajando la carta que la abuela-Bot había clavado. —También es el As. Supongo que eso significa el gran premio—. Se dirigió a una estantería en la que había premios y mientras los ojos de Gary y Emily se salían de sus órbitas, sacó un enorme pastel de chocolate al estilo estadounidense.

—¡Ahí tiene, señora! —, dijo, y añadió: —¡No se lo coma todo de una vez!

—¡Negativo! —, dijo la abuela-Bot mientras cogía el pastel.

—Bueno, señora—, se rio el hombre, —puede que sea usted una dama de pocas palabras, pero seguro que sabe lanzar un dardo. Y además a su edad. ¿Dónde practica?

—¿Practicar? —, dijo la abuela-Bot.

—Em... ella visita el pub que está al final de nuestra calle—, dijo Gary mientras alejaba a la abuela-Bot, que sostenía el pastel, y a Emily. —Ella está en el equipo de dardos allí.

—A su edad... ¡extraordinario! —, dijo el dueño del puesto, rascándose la cabeza mientras observaba cómo se retiraba el pequeño grupo formado por el niño, la niña y la aparentemente anciana «abuelita» (con pastel).

CAPÍTULO 13
YANQUI EN EL TANQUE

Caminaron entre los puestos y vieron una multitud al final. Oyeron un chapoteo de agua y se levantó una ovación. —Parece interesante—, dijo Gary, así que se apresuraron a llegar. Se abrieron paso hasta la parte delantera de la multitud y vieron un espectáculo extraño. Había un hombre con traje de neopreno sentado en la plataforma sobre un tanque de agua. Parecía un hombre rana sin aletas. A la derecha del tanque había una pequeña diana redonda a la que la gente lanzaba lo que parecían pelotas de béisbol. Encima del tanque había un gran cartel: «¡Mete al yanqui en el tanque!».

Gary no tardó en darse cuenta de que se trataba de un «tanque de inmersión», muy popular en los espectáculos benéficos de Estados Unidos. Obviamente, alguien había montado uno ahí. Si se golpeaba la diana con una pelota con suficiente fuerza, la plataforma cedía y el hombre sentado en ella caía en el tanque. Había una gran cola de gente para intentarlo, pero no muchos acertaban.

Sin embargo, después de que Gary y Emily hubieran permanecido observando durante unos diez minutos, alguien golpeó la diana con la suficiente fuerza como para que la plataforma cediera y el hombre, el «yanqui», supuso Gary, entrara en el tanque con un gran chapoteo. El público dio una ovación y el hombre que lanzó la pelota fue recompensado con un pequeño oso de peluche de una caja.

Emily se fijó en un gran oso de peluche sobre el puesto. —Me pregunto qué hay que hacer para ganar ese grande—, dijo Emily.

—Dice que hay que mojar al yanqui tres veces seguidas—, dijo Gary.

—Bueno, supongo que ese oso de peluche está a salvo—, dijo Emily. —¡Lástima! Me encantaría tenerlo.

—¿Te gustan los osos de peluche? —, dijo Gary con una sonrisa.

—¡Sí! —, dijo la chica, poniéndose un poco roja. —Y no te atrevas a reírte, Gary Gormley. Amo a mis peluches, y son reales para mí.

—Bueno, en un minuto me tocará—, dijo Gary. —¿Me pregunto quién sigue gritando?

Miró hacia el lugar de donde procedía el ruido. A un lado, entre la multitud, se encontraban las dos figuras conocidas de Nick y Dick, junto con algunos amigos igualmente repugnantes, que mantenían un flujo constante de insultos dirigidos al tipo sentado en la plataforma. Estos insultos, a los que Nick y Dick contribuían principalmente, alcanzaron su punto álgido cuando el «yanqui» fue arrojado al tanque de abajo.

—¡Igual que una hinchada de fútbol! —, murmuró Gary, mirando en dirección a donde Nick, Dick y compañía estaban abucheando. —¿Esos tipos no tienen ningún tipo de modales o respeto?

Sin embargo, Gary no era el único irritado por Nick y Dick. El sargento que estaba a cargo del puesto estaba obviamente harto de los dos, al igual que, al parecer, todos los demás.

—¡Ustedes dos! Cierren la boca—, dijo el sargento.

—¡Púdrete! —, gritó Nick.

—¡Sí! —, secundó Dick. —¡Vuelve a la tierra de los yanquis!

Como esto podría haber sido lo más inteligente que Dick había dicho en bastante tiempo, se rio a carcajadas de su propia astucia. Por desgracia para Nick y Dick, estaban tan ocupados felicitándose por las ocurrencias que salían de sus bocas que no se dieron cuenta de que un corpulento y fornido aviador estadounidense estaba detrás de ellos.

—¡Bien, vosotros dos! Ya es suficiente—, dijo.

—¡No puedes obligarnos! —, dijo Dick.

—Sí, podemos—, gritó el sargento. —¡Tráiganlos aquí!

—¡Oye! ¡Quítame las manos de encima! —, gritó Nick cuando él y su compañero fueron agarrados por el cuello por el fornido aviador, que procedió a llevarlos hasta el sargento a la vista de la multitud, que se reía y disfrutaba del entretenimiento añadido.

—Ahora bien, ustedes dos bocazas—, dijo el sargento. —Ya estamos hartos de ustedes y de sus burlas. Si son tan grandes e inteligentes, ¿qué les parece si cambian de sitio con este hombre? —, dijo, indicando al aviador sentado en la plataforma sobre el tanque.

El aviador sonrió. —Pierde el tiempo, sargento—, dijo. —Estos dos son grandes habladores, pero son unos cobardes.

—¡No soy un cobarde! —, protestó Nick.

—Bueno, en ese caso, ocupen el lugar de este hombre—, dijo el sargento.

Nick se dio cuenta de que el juego había terminado y no podía salir de esto sin quedar mal con sus compañeros, que lo miraban expectantes. Así que se encogió de hombros y dijo: —¡Oh, está bien! — y subió a la plataforma.

—¡Bien, a continuar! —, gritó el sargento. —¿Quién quiere darle un baño a este personaje y ganar un premio?

—¡Yo lo haré! —, dijo Gary, pensando que la oportunidad de meter a Nick en el agua era demasiado buena como para perderla. Además, existía la posibilidad de ganar el oso de peluche para Emily. Pagó su dinero por las tres bolas y se acercó.

Nick, encaramado en la plataforma, lo vio y se rio. —Bueno, pero si es Gary el corto, ¡o el Idiota de Gary! Porque una mala hierba como tú ni siquiera será capaz de alcanzar el objetivo, y mucho menos de atinarle—. A lo que su público, en particular la tribu de colgados que le acompañaba, estalló en aullidos de risa y gritos.

—¡Es Gary el corto, el débil!.

—Oye, Gary, ¿puedes ver el objetivo?

—¡Cuidado con que no se te caiga el brazo!

—¡Apuesto a que se le cae!

Gary se puso un poco rojo, pero los insultos no hicieron más que aumentar su decisión de tirar a Nick al agua. Levantó la primera bola con la mano derecha y la lanzó. Desgraciadamente, la evaluación de Nick sobre Gary como atleta era casi correcta. Simplemente no podía lanzar una pelota para salvar su vida, y su primera se fue muy lejos del objetivo. Todo esto produjo otra carga de abucheos.

—¡Falló!

—¡Idiota!

—¡Intenta apuntar al objetivo!

—¡Nunca lo lograrás!

Gary lanzó la siguiente con el mismo resultado. Solo que el volumen de los abucheos pareció aumentar un poco. Solo le quedaba una bola, así que apuntó con cuidado y lanzó, solo para ver que la bola golpeaba la red lateral en lugar de la diana.

Lo que, por supuesto, provocó una nueva tormenta de vítores irónicos y nuevos insultos de los espectadores.

Nick sonrió. —¡Ahí lo tienes! Te dije que ese debilucho no podía lanzar para salvar su vida. De hecho, ¡no creo que puedas quitarle la cáscara a un arroz con leche!

Gary se puso bastante rojo y se giró para ver a Emily con tres bolas en las manos.

—No podrás hacerlo, Emily—, dijo. —¡Se reirán de ti también!

—Oh, no voy a hacerlo—, dijo la chica con una sonrisa. Le entregó las bolas a la abuela-Bot. —Pensé que esta señora podría intentarlo—. Se rio. —Vamos, abuela. Enséñales tú.

CAPÍTULO 14

¡SUMERGIDO!

—Es un placer—, dijo la abuela-Bot mientras cogía las pelotas y daba un paso al frente. Su presencia provocó otra tormenta de insultos y abucheos por parte de los indeseables elementos del público.

—¡Mira a esa vieja!

—¡Debe ser una centenaria!

—¡Se va a caer muerta tratando de lanzar la pelota!

Sin embargo, Nick parecía extrañamente silencioso, y una mirada ansiosa cruzó su rostro cuando la abuela-Bot se acercó y lanzó la primera bola. Su ansiedad estaba bien justificada, ya que la pelota salió con la velocidad de un lanzador de béisbol y dio en el blanco con un sonoro estruendo. La plataforma cedió y lanzó a Nick al agua con un tremendo chapoteo. El chico se agitaba en el agua.

Se levantó una ovación, pero los abucheos se convirtieron en gritos de asombro:

—¿Qué...?

—¿Has visto eso?

—¡Caramba, Nick cayó al agua!

—¿Cómo lo hizo?

El sargento miraba asombrado. —¡Guau! —, exclamó. Luego ayudó al balbuceante Nick a salir del agua y a volver a la plataforma. —Vamos—, dijo. —¡Sube!

—¡Pero si me acaban de mojar! —, protestó Nick.

—Pero a la anciana le quedan dos rondas más—, dijo el sargento. —Vamos, hijo, no podrá hacer lo mismo dos veces. Es tan solo una anciana. Probablemente fue un tiro de suerte.

—No lo sé—, dijo Nick mientras subía con cautela a la plataforma y se sentaba empapado. Por suerte para él, era un día caluroso, así que no había posibilidad de que se resfriara. Pero el agua estaba fría y tiritaba un poco. Gary le miró y casi empezó a sentir lástima por él mientras la abuela-Bot preparaba el segundo lanzamiento.

Nick lanzó una mirada suplicante hacia la abuela-Bot, pero

no le sirvió de nada. El lanzamiento volvió a salir como una bala, dando en el blanco con un fuerte estruendo, llevando a Nick al agua. El público volvió a aplaudir y a lanzar más gritos de asombro.

Esta vez, alguien gritó: —¡Bien hecho, abuela! —, y recibió una amable inclinación de cabeza en su dirección por parte de la abuela-Bot. El sargento se rascó la cabeza con asombro. —¿Cómo lo hizo? —, decía. —¡Es decir, es tan anciana!

—Me pregunto si esa cosa disfruta con lo que hace—, reflexionó Emily para sí misma. —Es increíble pensar que no es humana.

—Bueno—, dijo Gary, —parece que Nick ha tenido suficiente—, mientras Nick salía del tanque y se alejaba.

—Oh, vamos—, dijo el sargento de forma burlona. —A la anciana le queda una tirada. Va a por el premio gordo.

—Bueno, ella puede hacerlo sin mí—, dijo Nick. —¡Dick! ¡Te toca a ti! ¡No veo por qué yo debería mojarme y tú no!

—¡Buena idea! —, dijo el sargento, y el renuente Dick fue impulsado hacia la plataforma, protestando: —¡Yo no! ¡Yo no dije nada!

—Lo hiciste—, dijo el sargento. —Ahora sube o te lanzaré de cabeza.

Dick, haciendo acopio de sus limitadas reservas de inteligencia, pensó que podría tener más posibilidades con los lanzamientos de la anciana que arriesgarse a que el sargento lo metiera en el tanque, algo que el aviador parecía muy dispuesto a hacer. Era evidente que les había tomado la medida a Nick y a Dick. Así que Dick, todavía protestando, subió y se sentó en la plataforma, mirando nerviosamente a la anciana que estaba preparando su tercer lanzamiento.

¡Fiuuu!

¡Clink!

¡Ploc!

El público, que a estas alturas ya era bastante numeroso, se unió para ver las asombrosas hazañas de la anciana con la pelota. Vieron cómo la plataforma cedía por tercera vez consecutiva y la regordeta figura de Dick, esta vez, caía al agua con un enorme chapoteo. Dick gorgoteó y chapoteó en el agua: ¡se había «mojado» de verdad!

El sargento le ayudó a salir y miró con asombro a la anciana de pelo blanco que había hecho tres dianas seguidas. —Bien, señora—, dijo respetuosamente. —No sé cómo lo ha hecho, ¡pero usted gana! —. Levantó la mano y cogió el gran oso de peluche de la estantería que había sobre la plataforma y se lo dio a la abuela-Bot, que a su vez se lo dio a Emily. Emily abrazó el peluche. —¡Oh, gracias, abuela! —, dijo, con sus pecas bailando de alegría. —¡Eres la mejor!

—Te prometo que no te delataré—, sonrió Gary.

—¡Sí! —, dijo la chica y le sacó la lengua. Miró a Nick y Dick, que estaban empapados y discutiendo entre ellos. —¡Bueno, sí que hemos mojado a esos dos! —, dijo con una risita.

—Vamos—, dijo Gary. —¡Ya es hora de que volvamos! Es tarde. ¿Puedes llevar el pastel, abuela?

CAPÍTULO 15

COLGADO A SECAR

Volvieron a pasar entre los puestos con Emily llevando su osito de peluche y la abuela-Bot con el pastel. Pasaron por el puesto en el que Gary y la abuela habían adivinado el número de chucherías en el tarro cuando la señora que lo atendía les llamó. —¡Eh! ¡Un momento!

Se acercaron y la señora les sonrió. —Felicidades—, dijo, entregándole a Gary el tarro. —Tu cálculo fue el más acertado, así que ganas el tarro.

—¡Oh!, ¡qué bien! —, dijo Gary, cogiendo el gran tarro de chucherías con una mirada de sorpresa y deleite.

—Y tu suposición fue absolutamente acertada. Exactamente 291 en el frasco—. Se rio. —¡Lo sé porque yo misma los conté!

—Bueno, supongo que tuve mucha suerte—, dijo Gary.

—No obstante, fue extraordinario—, dijo la señora. —Una suposición exacta. Nunca me había pasado algo así—. Bajó la cabeza hacia Gary y susurró: —Esta anciana es impresionante. Y veo que también ha ganado un pastel—. Miró a la abuela-

Bot. —¡Bien hecho, señora! Ha pasado una tarde estupenda por lo que se ve. ¿Es usted su abuelita?

—¡Seguro! —, dijo la Abuela-Bot.

—Emmm... ¡sí, por supuesto! —, dijo Gary mientras se alejaban a toda prisa. —¡Gracias! —, dijo a la sonriente señora, que respondió alegremente: —¡De nada, cariño! —, mientras los despedía con la mano.

Empezaron a bajar el camino desde la base, con Gary llevando los dulces, la abuela-Bot el enorme pastel y Emily agarrando a su nuevo amigo, el oso de peluche gigante. Pasaban junto a unas barandillas de hierro que cercaban el parque cuando vieron acercarse a varias figuras conocidas. Eran Nick y Dick, ambos con el aspecto de estar todavía muy mojados por su chapuzón en el tanque, junto con tres de sus compañeros de aspecto rudo con los que estuvieron en la jornada de puertas abiertas de la base aérea.

Se enfrentaron a Gary con las manos en la cadera, obviamente intentando parecer rudos.

—¡Nos los llevaremos! —, dijo Nick con un movimiento de cabeza.

—¿Llevaros qué? —, dijo Gary.

—Estas cosas que habéis ganado hoy. Creo que las merecemos más que vosotros.

—¡Sí! —, Gary giró la cabeza para ver al grosero Dick. —¡Nosotros nos mojamos y tú no!

—Bueno, no deberías tener esa bocaza—, dijo Emily. —Eso es lo que te ha metido en problemas y no nosotros.

—¿Vais a entregar esas cosas o las agarramos nosotros? —, dijo Nick amenazante.

—¡Negativo! —, dijo una voz detrás de Gary. Era la abuela-Bot. —Mi programa no incluye ceder ante los matones, sino llegar a un acuerdo con ellos.

—Programa... ¿qué programa? —, dijo Nick.

—¡Solo esto! —, dijo la abuela-Bot, pasándole el pastel a Gary, que lo equilibró en su mano mientras sostenía el tarro de chucherías en la otra.

—¡Pareces mojado! —, dijo la abuela-Bot, agarrando a Nick y levantándolo de sus pies y colgándolo por el cuello en una de las barandillas. —¡Así que vamos a colgarte para que te seques!

—¡Ay! — gritó Nick. —¡Bájame!

—¡Y tú! —, dijo la abuela-Bot, agarrando a Dick y colocándolo junto a Nick. —¡Parece que tú también necesitas ayuda para secarte!

—¡Auxilio! —, gritó Nick mientras sus gritos se mezclaban con los de su desafortunado amigo. —¡Ayuda, compañeros! ¡Bájanos! —, gritó apelando al resto de su pandilla. Sin embargo, a los miembros de la banda no parecía gustarles enredarse con la abuela-Bot, que se quedó mirándolos con las manos en la cadera. —Como una lavandera a la antigua—, se dijo Emily, riéndose.

—¿Alguien más? —, dijo Gary con frialdad. —¡No! Bueno, podéis bajar a vuestros amigos cuando nos hayamos ido, pero yo no intentaría nada más porque parece que mi abuelita está de muy mal humor.

—¡Pues claro! —, dijo la abuela-Bot. —No hay que tolerar a los matones.

—¡No, solo colgarlos a secar! —, dijo Emily con una risa.

—¡Espera! — gritó Nick.

—¡Sí! — dijo Dick. —¡Espera!

—¡Oh, cállate! —, dijo uno de sus compañeros. —¿Quieres que esa vieja nos cuelgue a todos?

—¡Sí, seguro que se hizo cargo! —, dijo otro con una risa.

—De hecho, dejarlos ahí arriba podría ser lo mejor—, dijo el tercero. —¡Vamos a abandonar a los bocazas!

—¡No podéis dejarnos aquí! —, dijo Nick al ver que sus

compañeros desaparecían, dejándoles a él y a Dick todavía luchando por zafarse.

—Bueno, si tus compañeros no te ayudan, lo haremos nosotros—, dijo Gary, riendo. —No quiero que vuestros padres tengan que enviar un grupo de búsqueda por ti esta noche. Bájalos, abuela.

—¿Seguro? —, dijo la abuela-Bot.

—Sí, seamos amables.

En ese momento la abuela-Bot levantó primero a Dick y luego a Nick.

—Id a casa—, dijo Gary, mirando a las figuras mojadas y desaliñadas que tenía delante. —Os vendrá bien cambiaros de ropa.

Nick les dirigió una mirada extraña. —Supongo que sí. Vamos, Dick—. Entonces, mientras se alejaban, Dick se dio la vuelta. —¡Pero no hemos terminado!

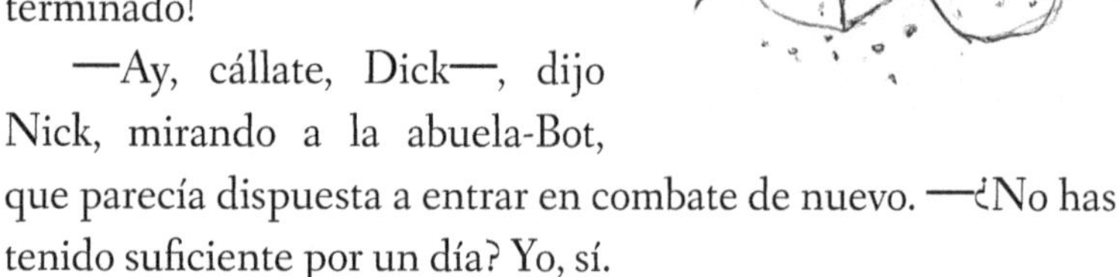

—Ay, cállate, Dick—, dijo Nick, mirando a la abuela-Bot, que parecía dispuesta a entrar en combate de nuevo. —¿No has tenido suficiente por un día? Yo, sí.

Gary observó las dos figuras desamparadas que subían por el camino. —Sabes—, dijo, —¡casi me dan pena!

—¡Lo siento! — dijo Emily. —¿Lo sientes por ellos?

—Bueno, si no fuera por ellos no habríamos tenido a la abuela-Bot.

—Sí—, dijo Emily, mirando al robot. —Todavía no puedo creer que la hayas inventado. Es tan inteligente para resolver problemas.

Gary se puso ligeramente rojo ante el cumplido. —Un problema que tenemos es qué hacer con este pastel—, dijo.

—Es tan grande que no podemos comerlo todo—. Su rostro se iluminó de repente con una sonrisa. —Te diré una cosa. Hay algunos niños pobres en nuestro camino. Invitémosles a compartirlo. Y las chucherías también.

—Me parece bien—, dijo Emily, contenta de que su amigo no solo fuera inteligente sino también generoso. —¿Crees que es una buena idea, abuela?

—¡Afirmativo!, dijo la abuela-Bot.

Querido lector,

Esperamos que hayas disfrutado leyendo *Gary y la abuela-bot*. Tómese un momento para dejar una reseña, incluso si es breve. Tu opinión es importante para nosotros.

Atentamente,

David Littlewood y el equipo de Next Chapter

ACERCA DEL AUTOR

David Littlewood es un autor y escritor independiente. A lo largo de los años ha colaborado con numerosos artículos en diversas revistas y es autor de libros, entre ellos novelas para niños y jóvenes. Entre sus títulos anteriores figuran Ghastly Gob Gissimer, Ava y el príncipe duende, Jedrek y la princesa pirata y La princesa y el pastorcillo.

Gary y la abuela-bot
ISBN: 978-4-82414-169-9

Publicado por
Next Chapter
2-5-6 SANNO
SANNO BRIDGE
143-0023 Ota-Ku, Tokyo
+818035793528

20 septiembre 2022

Lightning Source UK Ltd.
Milton Keynes UK
UKHW011841171022
410647UK00002B/78